C29 0000 1220 724

D0679970

Teulu
Tŷ Bach

BR
11/18

hamdden a llyfrgelloedd
aura
leisure & libraries

Please return by the last date shown Aura Library and Information Service
Dychweler erbyn y dyddiad olaf uchod Gwasanaeth Llyfrgell a Gwybodaeth Aura

1516-01008 CL009C

Cyhoeddwyd gan CAA Cymru, Prifysgol Aberystwyth, Plas Gogerddan, Aberystwyth SY23 3EB (www.aber.ac.uk/caa).

Ariennir gan Lywodraeth Cymru fel rhan o'i rhaglen gomisiynu adnoddau addysgu a dysgu Cymraeg a dwyieithog.

ISBN: 978-1-84521-704-4

Golygwyd gan Fflur Aneira Davies a Marian Beech Hughes
Dyluniwyd gan Richard Huw Pritchard
Argraffwyd gan Gomer

Cydnabyddiaethau

Diolch i Dr Carol James, Heulwen Hydref Jones, Marc Jones a Siw Jones am eu harweiniad gwerthfawr. Diolch hefyd i Lisa Morris (Ysgol Glantwymyn) ac Anwen Jervis (Ysgol Llanbrynmair) am dreialu'r deunydd.

Ceir gweithgareddau i gyd-fynd â chwe nofel Cyfres Halibalŵ ar wefan Hwb (addas i CA2; awdur: Siw Jones).

1
Tŷ Bach

Tŷ Bach oedd enw'r lle, ond nid tŷ bach mohono.

Byddai pobl weithiau'n cerdded heibio ac yn oedi wrth weld enw'r tŷ. Yna, bydden nhw'n chwerthin yn uchel – ha, ha, ha! – cyn cerdded i ffwrdd yn ddiolchgar eu bod yn byw mewn tai LLAWER MWY. Ond roedd Tŷ Bach yn fach ac yn hardd ac yn dwt ac, yn fwy na dim, roedd yn glyd.

Yn yr haf poeth, byddai awel yn

dod i mewn drwy ddrws y ffrynt,
ac mewn llai na dwy eiliad byddai
wedi llifo'n braf drwy'r tŷ ac allan
drwy ddrws y cefn. Yn y gaeaf oer,
byddai dau ddarn bach o lo ar y tân
yn y lolfa'n ddigon i gynhesu pob un
ystafell mewn dim o dro.

    Yr ystafell fwyaf yn Tŷ Bach oedd
y lolfa. Roedd digon o le yno i soffa
las ar hyd un wal, a phiano bach du
ar hyd y wal arall. Drws nesaf i'r lolfa

roedd y gegin. Ystafell fach sgwâr oedd honno, â bwrdd bach sgwâr yn y canol a drws yn arwain at yr ardd. Roedd golygfa hyfryd o'r ardd i'w gweld drwy'r ffenest uwchben y sinc, ac roedd yr ardd honno – fel popeth arall yn Tŷ Bach – yn fach. Roedd grisiau cul yn y gegin yn arwain i'r llofft, lle roedd dwy ystafell wely fach ac un ystafell ymolchi fach, fach.

Pe baet ti'n werthwr tai, byddai'n syniad da i ti geisio gwerthu Tŷ Bach i rywun oedd ar ei ben ei hun, fel môr-leidr wedi ymddeol neu werthwr tail gwartheg. Ond nid un, ac nid dau yn unig, oedd yn byw dan do Tŷ Bach, ond tri: Blodwen a'i gŵr, Cleif, a Sam y Ci.

Menyw fer a llydan oedd Blodwen. Roedd ganddi goesau fel boncyffion, ac roedd hanner uchaf ei chorff yn edrych fel pe bai rhywun

wedi ei roi mewn feis a'i wasgu'n
araf. Roedd ei hysgwyddau bron â
chyffwrdd ei chlustiau a byddai ei
chlustlysau'n aml yn mynd yn sownd
yn ei siwmper.

Gan fod drysau llofft Tŷ Bach
yn gul, byddai breichiau siwmper
Blodwen weithiau'n rhwbio yn erbyn
ffrâm y drws nes bod edafedd coch
(siwmperi coch oedd ei ffefrynnau)
yn mynd yn sownd yn y pren. Yn wir,

4

byddai Blodwen weithiau'n dod i lawr i'r gegin a hanner isaf ei siwmper wedi datod i gyd yn un llinyn hir y tu ôl iddi, a'r gweddill yn hongian o ddrws i ddrws fel gwe pry cop coch ar hyd y landin.

Un gwahanol iawn oedd Cleif. Dyn tal a thenau a thawel oedd hwnnw, a'i groen wedi cochi gan liw haul, fel fframyn beic wedi rhydu. Doedd dim peryg y byddai Cleif yn dal ei siwmper yn ffrâm unrhyw ddrws, ond roedd peryg bob tro y gallai daro'i dalcen. Roedd wedi arfer cymaint â phlygu ei ben wrth fynd drwy bob drws yn y tŷ nes ei fod yn plygu ei ben ym mhobman ac yn gam i gyd.

Roedd Cleif mor dal fel nad oedd erioed wedi dod o hyd i wely oedd yn ddigon hir iddo. Yn yr haf, fe gysgai â'i draed noeth allan drwy ffenest ei

ystafell wely, ac yn y gaeaf fe wnâi'r un peth – ond â sanau trwchus am ei draed.

Ond roedd Tŷ Bach yn gartref i un arall hefyd, a'r ci oedd hwnnw. Yn wahanol i Cleif, doedd Sam y Ci erioed wedi cael unrhyw broblem cysgu. Roedd ganddo'i le bach clyd ei hun ar ben y landin, lle byddai'n pendwmpian drwy'r nos ac yn breuddwydio am y Gath Drws Nesaf.

Cath ddu gas a sbeitlyd oedd honno. Fe gerddai'n araf â'i thrwyn yn yr awyr, cyn eistedd yn dawel a llyfu ei phawennau a'i phen-ôl yr ochr arall i'r ffens. Bob bore fe ysgyrnygai Sam arni yn yr ardd yr ochr arall i'r ffens, a chyfarth a chyfarth a chyfarth arni a rhuthro'n wyllt yn ôl ac ymlaen ac yn ôl ac ymlaen, nes bod y bobl drws nesaf yn rhythu arno'n gas. Ond bob dydd, byddai Sam yn mynd yn ôl i mewn i'r tŷ wedi methu cael gafael ar y Gath Drws Nesaf.

Cyn cau drws y cefn bob nos, byddai'n edrych yn ôl dros ei ysgwydd ar y gath fileinig – cystal â dweud, FE GA' I TI RYW DDYDD, YR HEN GATH WIRION.

Yn ei freuddwydion, roedd Sam wrth ei fodd yn dychmygu'r holl

bethau y byddai'n eu gwneud i'r gath
honno pan fyddai – o'r diwedd, ryw
ddydd, pan na fyddai hi'n ei ddisgwyl
– yn ei dal …

2
Y gwely blodau

Roedd Blodwen a Sam y Ci yn meddwl y byd o'r gwely blodau ar waelod yr ardd, ond nid am yr un rhesymau.

Roedd Blodwen yn arddwraig. Doedd dim yn well ganddi na gwisgo'i menig garddio porffor a chydio mewn trywel a chribin. Gallai dyfu blodau, paid â sôn! Blodau coch a blodau melyn a blodau melyngoch. Briallu, bysedd y cŵn, grug, y lili wen fach, a'i ffefryn – rhosod coch y

mynydd. Beth bynnag oedd ei enw
a pha mor anodd bynnag oedd ei
dyfu, gallai Blodwen gael y blagur i
flodeuo.

Roedd ganddi flodau lliwgar o
bob math mewn potiau ar hyd a lled
yr ardd, ac yn hongian ar fachau

uwchben drws y cefn. Ond y gwely blodau ar waelod yr ardd oedd ei thrysor. Yno, o fewn golwg i ffenest y gegin a ffenest ei hystafell wely, roedd carped o liw ar hyd y flwyddyn. Yn yr haf, roedd yn felyn a choch a glas a gwyrdd, ac yn y gaeaf, hyd yn oed, roedd yn llawn porffor a phinc.

Doedd Sam y Ci, ar y llaw arall, yn poeni dim am harddwch y gwely blodau. Fyddai'r blodyn harddaf ar wyneb y ddaear ddim yn ddigon i ddenu ei sylw. Ond pwy fedrai weld bai arno? Dyw cŵn, fel mae pawb call yn gwybod, ddim yn gweld yr un lliwiau â phobl. Mae'r byd iddyn nhw yn las ac yn llwyd ac yn frown i gyd. Dyw cŵn ddim yn gwybod dim nac yn poeni dim am goch na phorffor na melyn llachar, llachar.

Ond roedd Sam y Ci wrth ei fodd â'r gwely blodau ar waelod yr ardd.

Oherwydd pan oedd Sam y Ci yn gi bach, roedd wedi mynd i chwarae yn y gwely blodau ac wedi chwalu'r blodau i gyd yn yfflon. Fe ddywedodd Blodwen y drefn wrtho nes bod ei hwyneb yn gochach na'r rhosyn cochaf yn y potyn coch uwchben drws y cefn. Y tro cyntaf hwnnw, fe sleifiodd Sam yn ôl i'w gwt yn yr ardd a'i gynffon rhwng ei goesau.

Ond wedyn, wrth orwedd ar ei glustog â'i glustiau dros ei wyneb yn drist, fe glywodd Sam sŵn yn dod o gyfeiriad y gwely blodau. Dyna pryd y gwelodd y Gath Drws Nesaf am y tro cyntaf. Roedd hi'n plygu i lawr yn y gwely blodau … yn pi-pi.

Gwelodd y Gath Drws Nesaf fod y Ci Budur Drws Nesaf yn edrych arni, ac fe wenodd. Do, fe wenodd y gath yn slei, cystal â dweud, HA HA, MI GEST TI ROW.

Teimlodd Sam y Ci ei hyder yn dod yn ôl. Roedd tymer wyllt yn corddi tu mewn iddo, ac fe RUTHRODD am y gath wirion. Bu bron iddo'i dal hi'r tro cyntaf hwnnw. Doedd gan y Gath Drws Nesaf ddim syniad y gallai'r Ci Budur Drws Nesaf symud mor gyflym. Bu bron iddi golli ei chynffon y diwrnod hwnnw wrth sgrialu'n wyllt yn y pridd a chrafu neidio dros y ffens yn ôl i ddiogelwch ei gardd ei hun.

Fe wnaeth Sam y Ci'n siŵr, o'r tro cyntaf hwnnw ymlaen, na fyddai'r Gath Drws Nesaf yn cael mynd yn agos at y gwely blodau. Os oedd y gwely hwnnw mor bwysig i Blodwen – er na fedrai Sam y Ci ddeall pam yn y byd ei bod hi'n caru blodau cymaint – roedd Sam yn benderfynol o'i amddiffyn â'i fywyd …

Roedd Blodwen yn y gegin un

bore'n golchi llestri ac yn mwynhau edrych allan drwy'r ffenest ar ei gwely blodau. Roedd yn tynnu at ddiwedd yr haf a'r blodau'n llawn lliw, y potiau i gyd yn llawn dop a changhennau'r goeden eirin yn pwyso'n drwm at y llawr. Ond er gwaethaf yr holl harddwch, doedd Blodwen ddim yn gwbl hapus. Dros y ffens, yn yr ardd drws nesaf, gallai weld corun moel Edward Edwards.

Beth bynnag oedd y tywydd, haul neu law mân neu rew, roedd Edward Edwards drws nesaf yn mynd allan i eistedd yn ei gadair hyll ar y patio yng ngwaelod ei ardd. Yn y gaeaf byddai Blodwen yn meddwl iddi hi ei hun fod Edward Edwards wedi colli ei bwyll, efallai, neu wedi cael digon ar lais main ei wraig annioddefol, Kathy, ac wedi dianc o'r tŷ. Hyd yn oed yn yr eira, byddai'n mynd ar ei ben ei hun i eistedd mewn côt fawr drwchus ac yn edrych ar y coed yn y pellter neu'n darllen rhyw racsyn o bapur newydd.

Ond yn yr haf roedd Edward Edwards weithiau'n eistedd yn yr ardd ac yn cynnau barbeciw. Bob tro y byddai Edward Edwards yn cynnau

barbeciw byddai'r gwynt yn siŵr o
chwythu tua gardd Blodwen. Byddai'r
gwynt yn cario mwg a drewdod y
barbeciw i mewn i'r ardd a thrwy
ddail y goeden eirin, ac yn crimpio
petalau hardd y blodau yn y gwely ar
waelod yr ardd.

Roedd Sam y Ci'n gwylio
Blodwen yn gwylio corun moel
Edward Edwards. Gallai synhwyro
fod Blodwen yn bryderus, felly
cyfarthodd unwaith a mynd ar ei
union drwy'r drws i'r ardd ac eistedd
yno. Doedd Sam ddim yn hollol siŵr
beth oedd o'i le, ond gallai fentro
fod y Gath Drws Nesaf yn ei chanol
hi yn rhywle. Felly eisteddodd, ac
fe eisteddodd, drwy'r prynhawn,
a'i lygaid wedi eu hoelio ar y gwely
blodau ac ar y ffens.

Bob hyn a hyn fe godai Sam y
Ci ei ben yn gyflym. Gall cŵn, fel

y mae pawb deallus yn gwybod, glywed pethau na all pobl eu clywed o gwbl. Clywodd Sam ryw ffermwr yn chwibanu ar ei gi defaid ymhell i ffwrdd, a chlywodd Edward Edwards yn cnoi ei ewinedd yn ei gadair yr ochr arall i'r ffens. Fe glywodd un peth arall hefyd. Sŵn pawennau.

Nawr ac yn y man fe glywai sŵn pawennau'r Gath Drws Nesaf yn sgraffinio dros gerrig y patio neu'n sleifio mynd drwy ddrws y cefn. Fe wyddai ei bod hi yno yn rhywle, y tu hwnt i'w olwg, a byddai Sam y Ci'n codi ei glustiau ac yn tynhau ei hun yn barod i neidio ar ei elyn. Ond ddaeth hi ddim i'r golwg y prynhawn hwnnw – roedd hi wedi ei weld, mae'n siŵr, meddyliodd Sam, ac yn ddoeth wedi dewis cadw draw.

Aeth Edward Edwards yn ôl i'r tŷ heb gynnau'r un barbeciw.

Dechreuodd dywyllu, a chlywodd Sam ei enw'n cael ei alw o'r tŷ. Taflodd ei lygad dros y gwely blodau un waith eto, cyn loncian mynd yn fodlon drwy ddrws y cefn am ei swper.

Aeth Blodwen i'w gwely'n hapus y noson honno. Byddai ei blodau hardd yn dal i arogli'n ysblennydd y bore wedyn. Aeth Sam y Ci i orwedd ar y landin â'i bawennau o dan ei ên. Syrthiodd i gysgu ag arogl melys y rhosod yn ei drwyn. Breuddwydiodd drwy'r nos am betalau glas a llwyd a brown, a gwely blodau'n llawn petalau o bob lliw a llun. Yn eu plith, roedd pedwar coesyn du rhyfedd â phedwar petal gwyn ar eu pennau, bron fel pedair pawen flewog yn sticio allan o'r pridd …

3
Jar o bicls

Y bore wedyn fe ddeffrodd Cleif yn gynnar, ac roedd ganddo awydd cael clamp o leden flasus i swper.

Cleif oedd y cyntaf yn Tŷ Bach i ddeffro bob bore, a hynny oherwydd ei fod yn bysgotwr. Boregodwyr yw pysgotwyr i gyd. Flynyddoedd yn ôl, roedd Cleif yn arfer codi bob dydd yn fore iawn, iawn, a hithau'n dal yn dywyll ac yn oer, er mwyn cyrraedd yr harbwr a

chodi angor cyn i'r pysgod ddeffro.
Bryd hynny roedd yn mynd i bysgota
penwaig fesul tunnell allan ar y môr
mawr. Roedd yn pysgota oddi ar long
â rhwydi mor fawr â phabell fwyaf yr
Eisteddfod.

Erbyn hyn, doedd Cleif ddim yn mynd yn bell iawn o'r lan, dim ond i bysgota cimychiaid ar gwch bach o'r enw *Cwch Bach*, a doedd dim angen iddo godi mor gynnar. Ond peth anodd yw dysgu triciau newydd i hen slefren fôr, ac roedd Cleif wastad yn codi'n gynnar, hyd yn oed pan fyddai'n well ganddo aros yn ei wely cynnes.

Aeth i lawr y grisiau i'r gegin, gan blygu ei ben yn ofalus wrth fynd i lawr, a Sam y Ci'n ei ddilyn yn eiddgar. Safodd y ci'n dawel ac yn ufudd o flaen ei bowlen fwyd a gwylio Cleif yn paratoi brecwast. Nid bod llawer ohono – brecwast malwen fôr, fel y byddai'r pysgotwyr yn ei ddweud. Paned o de heb laeth a darn bach llipa o dost. Ar ôl blynyddoedd o fod ar fwrdd llong cyn iddi wawrio, a honno'n mynd i lawr ac i fyny ac

i lawr ar y dŵr, roedd Cleif wedi
hen golli ei awydd am frecwast.
Ond edrychai ymlaen at ei swper y
diwrnod hwnnw, ac am weld lleden
ar ei blât.

Agorodd dun o fwyd i Sam y Ci,
trawodd ei gap ar ei ben ac aeth allan
drwy ddrws y cefn dan chwibanu.
Sglaffiodd Sam ei fwyd mewn
tawelwch, yna clywodd Blodwen yn
deffro. Fe glywai hi bob dydd cyn ei
gweld. Sŵn deffro chwyrnllyd, mawr,
fel pe bai hi wedi dal rhyw forgath
fawr ar lein bysgota ac yn ceisio'i
gorau i dynnu'r horwth o'r dŵr.

"YYYIIHYOUOUHMASPHRRR."

Daeth Blodwen i lawr ymhen
ychydig a'i gwallt yn flêr i gyd.

"Bore daaa, Sam," meddai'n
gysglyd.

Treuliodd Blodwen a Sam weddill
y bore yn y gegin ac yn yr ardd.

Bwytaodd Blodwen ei brecwast yng ngolwg ei gwely blodau hardd, â Sam yn patrolio pob modfedd o'r ardd. Doedd dim golwg o'r Gath Drws Nesaf, ac roedd y blodau a'r potiau a phob dim arall yn ddiogel ac yn eu lle.

"Dwi'n ffansïo wy," meddai Blodwen yn uchel ganol y prynhawn.

Gofidiai Sam beth yn union roedd hynny'n ei olygu, oherwydd roedd Blodwen yn enwog ymhell ac agos am fod yn anobeithiol am wneud brecwast – a chinio a swper, a phob pryd bwyd arall. Byddai'n llosgi tost ac yn berwi moron yn grimp, yn rhoi hufen iâ yn y popty a sudd oren yn ei the. Fe roddodd bwdin Nadolig yn y popty un tro heb ei dynnu o'r bocs, a bu bron iddi losgi Tŷ Bach yn ulw. Roedd Sam wedi gweld Blodwen yn ceisio berwi, potsio, ffrio a phobi wyau dros y blynyddoedd, ond yr un oedd y canlyniad bob tro – llanast ar lawr a mwg lond y tŷ.

"Nawr, ble yn y byd ma'n nhw?"

Agorodd Blodwen un cwpwrdd, yna'r nesaf.

"MOWREDD!" gwaeddodd dros y lle, a rhoi ei llaw ar ei chalon.

"Pam yn y byd ma'r hen beth 'ma yn dal yn y tŷ, gwed?"

Roedd Blodwen wedi agor y cwpwrdd pellaf.

"Y dyn 'na!" meddai Blodwen yn flin, a chau'r cwpwrdd yn glep.

Yng nghefn y cwpwrdd pellaf roedd jar. Yn y jar honno roedd finegr, ac yn y finegr roedd un peth yn nofio. Y peth hwnnw oedd hanner bys.

Flynyddoedd lawer yn ôl, roedd Cleif wedi bod allan ar y môr drwy'r dydd, ac wedi hwylio ar y llong fawr

ymhell bell o'r tir i'r llefydd hynny
lle mae'r dŵr yn berwi o benwaig.
Roedd y rhwydi'n llawn a phawb ar y
llong ar ben eu digon. Wrth dynnu'r
llwyth olaf o benwaig i fyny o'r dŵr, fe
waeddodd un o'r pysgotwyr,
   "Gwylia'r siarc!"
   Ond roedd sŵn y pwli'n tynnu'r
rhwyd i'r llong yn rhy uchel. Ar ben y

pentwr penwaig roedd siarc bach tair troedfedd o hyd ac, fel mae unrhyw un gwybodus yn gwybod yn iawn, mae hyd yn oed y siarcod lleiaf yn medru bod yn beryglus.

Neidiodd y siarc bach hwnnw o'r rhwyd, gan feddwl y byddai'n dianc ar ei union yn ôl i'r môr mawr, ond yn hytrach fe laniodd drwyn yn gyntaf ar ben Cleif. Neu, a bod yn fanwl gywir, fe laniodd ar ben y bys bach ar law chwith Cleif. Gwnaeth y siarc yr unig beth y mae siarcod yn gwybod sut i'w wneud yn dda – brathodd. Syrthiodd ar lawr, a'r hanner bys – plop – wrth ei ymyl.

Cyn i Cleif wybod yn iawn beth oedd wedi digwydd, fe welodd y siarc bach yn stryffaglio ac yn curo'i esgyll ar y dec wrth ei draed. Teimlodd y boen yn ei fys, a syllodd i lawr ar ei hanner bys bach. Byddai unrhyw un

arall wedi crio a gweiddi am ei fam,
ond roedd Cleif yn bysgotwr, ac mae
pysgotwyr yn galed.

Yr hyn a wnaeth Cleif oedd plygu
i lawr a dal y siarc orau y gallai, a'i
daflu dros ymyl y llong yn ôl i'r môr.
Plygodd eto a phigo'r hanner bys yn
ofalus oddi ar y dec gwlyb. Yn nes
ymlaen y diwrnod hwnnw, dywedodd

capten y llong y byddai'r doctoriaid
wedi medru gwnïo'r hanner bys yn
ôl pe bai'r llong wedi cyrraedd tir yn
gynharach. Ond roedd y llong wedi
mynd ymhell bell i'r môr y diwrnod
hwnnw, a doedd dim gobaith
cyrraedd yr harbwr mewn pryd.
Bu'n rhaid i Cleif drin ei fys ag eli a'i
rwymo â chadach, a rhoi'r hanner bys
yn ei boced.

Pan gyrhaeddodd Cleif adref i Tŷ
Bach y noson honno, flynyddoedd
yn ôl, fe dynnodd ei fys bach allan
o'i boced er mwyn ei roi yn y bin.
Ond wrth iddo eistedd yn y gegin
dywyll yn dal ei hanner bys yn ei law,
methodd yn lân â rhoi'r hanner bys
bach hwnnw yn y bin gyda'r plisgyn
wy a'r crafion tatws. Estynnodd jar
o bicls o'r cwpwrdd, bwytaodd y picl
olaf a rhoddodd y bys, ar ôl ei olchi'n
lân, i mewn yn y finegr.

Dyna lle bu'r bys bach hwnnw o hynny ymlaen, yn nofio mewn finegr mewn hen jar bicls yng nghefn y cwpwrdd pellaf. Bob hyn a hyn, byddai Blodwen yn agor y cwpwrdd ac yn cael braw ofnadwy. Ond doedd hi na Cleif wedi cael gwared arno eto.

Berwodd Blodwen ddau wy nes bod y dŵr i gyd wedi mynd a gwaelod y sosban yn troi'n ddu. Cyfarthodd Sam mewn pryd a diffoddodd Blodwen y gwres. Bwytaodd ei hwyau crimp yn y gegin â'r ffenestri i gyd ar agor er mwyn cael gwared ar yr arogl llosg.

Daeth Cleif adref y noson honno â chwdyn dros ei ysgwydd. Arllwysodd ei gynnwys seimllyd i mewn i'r sinc – tair lleden fôr fawr. Golchodd y pysgod yn lân a'u paratoi. Taflodd lwmpyn o fenyn i mewn i badell ffrio a chynnau'r fflam oddi tani, a chyn

31

pen dim roedd arogl ffrio'n llenwi pob cwr o Tŷ Bach.

Cafodd Cleif, Blodwen a Sam y Ci swper gwerth chweil y noson honno. Eisteddodd Cleif yn ei gadair wedyn yn mwytho pen ei gi ac yn sipian ei baned am yn hir, hir.

Pan roddodd Sam y Ci ei ben i lawr i gysgu ar y landin gyda'r hwyr, dechreuodd freuddwydio am gant a mil o gypyrddau'n llawn jariau finegr. Jariau mawr a mân yn llawn picls ac wyau a gercins a bysedd bach a mawr – a chlamp o jar yn y gornel bellaf ac ynddi gath a edrychai'n debyg iawn i'r Gath Drws Nesaf …

4
Prynhawn poeth

Un gyfrwys iawn oedd y Gath Drws
Nesaf, ond byddai ei chyfrwystra
weithiau'n mynd yn drech na hi ei
hun, hyd yn oed.

Bob yn ail ddiwrnod byddai
Blodwen yn mynd i'r dref i weithio
mewn siop lyfrau. Ar y dyddiau
hynny, a Cleif i ffwrdd yn pysgota yn
ei gwch bach drwy'r dydd, byddai
Sam y Ci yn gorfod aros gartref ar ei
ben ei hun yn Tŷ Bach. Roedd drws y
cefn wedi ei gloi rhag ofn iddo fynd

i'r ardd i wneud llanast, a rhag ofn i unrhyw greadur arall ddod i mewn.

Doedd Sam y Ci ddim yn arbennig o hoff o'r dyddiau hynny. Roedd yna wastad berygl y byddai'n edrych allan drwy'r ffenest ac yn gweld ei elyn pennaf yn gwneud drygioni yn yr ardd. Pan welai'r Gath Drws Nesaf o'r tŷ, ac yntau'n methu gwneud dim i'w hatal, byddai'n cyfarth nerth ei ben ac yn rhedeg i fyny ac i lawr y grisiau. Ond fyddai'r gath yn cymryd dim sylw ohono, dim ond cerdded yn araf ac yn ffroenuchel ar hyd y lle, gan oedi bob hyn a hyn i lyfu ei blew. Byddai bob amser yn gwneud yn siŵr ei bod yn eistedd mewn man lle gallai'r Ci Budur Drws Nesaf ei gweld yn hawdd.

Am y rheswm hwnnw, byddai Sam y Ci'n gyndyn o edrych drwy'r ffenest o gwbl, rhag ofn y gwelai ei chynffon yn waltsio heibio. Cadwai ei hun yn brysur yn arogli pob twll a chornel o'r tŷ, yn pendwmpian ac yn chwarae â phêl yn y lolfa. Ond weithiau fe âi'r demtasiwn yn ormod iddo, ac ni fedrai ei rwystro ei hun rhag cerdded hanner ffordd i fyny'r grisiau yn y gegin, lle gallai weld drwy'r ffenest, a syllu allan dros yr ardd i gyd.

Prynhawn felly oedd hi drannoeth y swper lleden. Roedd Sam wrthi'n chwarae â'r bêl yn y lolfa pan glywodd sŵn rhyfedd o'r ardd. Cododd ei ddwy glust yn syth i'r awyr. Sŵn metel yn crafu. Clustfeiniodd am eiliad, a sylweddolodd fod y sŵn yn dod o rywle'n agos iawn at ddrws y cefn. Beth oedd fel arfer yr ochr arall i'r wal? Cofiodd yn sydyn – y bin sbwriel.

Brasgamodd yn ddistaw i fyny'r grisiau, ac oedi hanner ffordd. Doedd dim i'w weld o'r fan honno, ond gallai glywed y sŵn o hyd. Roedd rhywun neu rywbeth yn twrio yn y bin sbwriel o dan y ffenest. Aeth ei chwilfrydedd yn drech nag o, a chyfarthodd yn uchel.

Yn sydyn, fe dawodd y sŵn twrio. Clustfeiniodd Sam eto. Yna'n ddirybudd, gwelodd y Gath Drws Nesaf yn llamu'n osgeiddig i'r golwg ac yn sefyll ar sil y ffenest. Ar sil ffenest y gegin. Modfeddi o fewn ei afael, ond eto'r un pryd yn llwyr y tu hwnt i'w afael.

Cyfarthodd yn uchel ac yn uchel ac yn uwch. Rhedodd i fyny ac i lawr ac i fyny ac i lawr y grisiau, gan gyfarth a chyfarth wrth fynd. Ond ni chynhyrfodd y Gath Drws Nesaf, dim ond llyfu ei phawen ac eistedd yn hamddenol a'i chefn wedi ei wasgu yn erbyn gwydr y ffenest. Rhwng ei dannedd roedd asgwrn pysgodyn lleden.

Ar ôl i Sam golli ei bwyll yn lân am bum munud, fe oedodd ar y grisiau a'i dafod yn hongian i lawr dros ei ddannedd. Gwelodd y Gath Haerllug Drws Nesaf yn hanner troi ei phen ato'n araf, a gallai dyngu ei bod wedi edrych arno a gwenu. Cyfarthodd eto, ac eto, ond dim ond llyfu'r esgyrn wnaeth y gath, a gwneud ei hun yn fwy cyfforddus ar sil y ffenest. Yn y pellter gallai Sam weld corun moel Edward Edwards dros y ffens yn eistedd ym mhen pellaf yr ardd drws nesaf. Ni symudodd hwnnw'r un gewyn, er gwaethaf yr holl sŵn.

Aeth hyn ymlaen am ryw awr. Y ci'n gwylltio ac yn oedi, a'r gath wedyn yn ymestyn ei chorff neu'n agor ei cheg led y pen er mwyn ei wylltio eto.

Ddiwedd y prynhawn bob haf, fe fyddai'r haul yn taro wal gefn Tŷ Bach ac yn cynhesu'r gegin drwyddi. Tywynnai'r haul y prynhawn hwnnw, a chynhesu sil y ffenest nes i'r gath fynd i deimlo'n gysglyd iawn, a syrthiodd i gwsg esmwyth. Tawelodd Sam y Ci hefyd ac aeth i orwedd yn bwdlyd ar lawr oer y lolfa.

Yna fe gafodd syniad. Mae unrhyw un sy'n gwybod unrhyw beth am gŵn yn gwybod nad yw cŵn yn cael syniadau da yn aml iawn. Ond pan maen nhw'n cael syniad da, mae hwnnw fel arfer yn syniad da iawn, ac fe gafodd Sam y Ci syniad da iawn y prynhawn hwnnw.

Arhosodd yn amyneddgar hyd nes iddo glywed sŵn y Gath Drws Nesaf yn deffro. Nid pawb sy'n medru clywed cath yn deffro, ond

ychydig iawn o bethau sy'n medru
cuddio rhag clyw ci. Pan glywodd
Sam y gath yn ymestyn yn ddioglyd
ar y sil ffenest, fe sleifiodd yn araf ac
yn ddistaw i mewn i'r gegin ac oedi o
dan y sinc, yn union islaw'r ffenest.

Doedd y Gath Drws Nesaf
ddim yn medru gweld y ci o'r fan
honno. Ar ôl gorffen ymestyn ei
chefn a gwthio'i phen-ôl i'r awyr, fe
syllodd yn flinedig i mewn drwy'r
ffenest. Byddai'n braf gwylltio'r Ci
Budur Drws Nesaf un waith eto,
meddyliodd. Roedd wrthi'n tynnu
mymryn o asgwrn o'i dannedd pan
neidiodd Sam.

Neidiodd unwaith yn uchel ac
yn swnllyd, gan gyfarth mor uchel
ag y gallai. Rhoddodd ei holl nerth i
mewn i'r naid honno, a brathodd ei
geg mor agos ag y gallai at y ffenest.

Neidiodd y gath allan o'i

chroen. Cododd ei blew i gyd a
fflachiodd ei chrafangau, a bu o
fewn trwch asgwrn lleden i syrthio'n
bendramwnwgl i lawr o'r sil ffenest
i'r bin sbwriel. Ond llwyddodd i
grafangu'r pren oddi tani a sgrialu am
ei bywyd o olwg y ci.

    At y ffens yr aeth hi. Llamodd ar

hyd y stribyn cul fel mellten, fel roedd
wedi gwneud lawer tro o'r blaen wrth
ddianc, ond y tro hwn fe fu'r sioc
yn ormod iddi ac fe lamodd yn rhy
gyflym. Roedd ar fin cyrraedd pen
y ffens pan faglodd hi, ac fe fyddai
wedi syrthio i'r llawr oni bai ei bod
wedi gwthio'n drwsgl â'i thraed ôl.
Llamodd o'r ffens i'r awyr â'i choesau
ar led, a glanio … ar ben moel
Edward Edwards.

Fedrai'r gath ddim rhwystro'i
hun rhag suddo'i chrafangau i mewn
i'w gorun noeth, ac fe sgrechiodd
Edward Edwards dros y lle. Taflodd
ei racsyn papur newydd i'r awyr, a
hedfanodd y tudalennau dros bob
man. Rhedodd mewn cylch ar y patio
â'r gath ar ei ben fel wig ddu ar noson
Calan Gaeaf, a honno'n gwrthod
gollwng rhag iddi syrthio.

Gwyliodd Sam y cyfan o'r grisiau.

Dôi Edward Edwards i'r golwg dros y ffens bob hyn a hyn, ei ddwylo'n ymbalfalu am y gath a'r gath yn sgrechian. Aeth y ddau o'r golwg wedyn. Daeth y sŵn sgrialu i ben a chlywodd Sam y dyn drws nesaf yn melltithio'r gath ac yn rhoi clep i ddrws y tŷ.

Aeth Sam i orwedd ar y soffa yn y lolfa am weddill y prynhawn, yn fodlon iawn ei fyd.

Teulu Tŷ Bach

5
Tri gŵr annoeth

Fore trannoeth fe ddeffrodd Sam
y Ci o freuddwyd ryfedd iawn.
Breuddwydiodd ei fod wedi mynd
am dro gyda Cleif i'r dref, a bod
pawb yno'n gwisgo hetiau anhygoel,
blewog. Rhai â chynffonnau'n sticio i
fyny, rhai crwn a phigog iawn, rhai â
phawennau …

Pan ddeffrodd, cofiodd ei bod,
wedi'r cyfan, yn ddiwrnod mynd am
dro i'r dref. Bob dydd Sadwrn byddai
Sam a Cleif yn mynd am dro i'r dref,

ac yn gweld pob math o bethau diddorol yn y parc, yn y siopau neu ar lan y môr. Y diwrnod hwnnw, roedd Sam yn edrych ymlaen at gael gweld pa fath o hetiau roedd y bobl yn y dref yn eu gwisgo, a llowciodd ei frecwast a'i ddŵr cyn i Cleif orffen ei baned.

Ond bu'n rhaid iddo aros am awr arall cyn gadael. Roedd wedi bwrw glaw dros nos ac roedd yn dal i fwrw yn y bore. Felly, penderfynodd Cleif na fyddai cerdded i'r dref yn y glaw gyda chi gwlyb yn llawer o hwyl. Arhosodd y ddau'n amyneddgar wrth y drws yn syllu allan drwy'r ffenest, dau bâr o lygaid yn edrych yn eiddgar tua'r cymylau. Ganol y bore fe dywynnodd llygedyn o oleuni drwy'r düwch, ac fe beidiodd y glaw.

Ymlaen â'r coler, a dyma Sam y Ci yn bowndio mynd allan drwy'r drws gan dynnu Cleif ar ei ôl fel fframyn barcud ar linyn. Safodd Blodwen yn y drws yn eu gwylio'n mynd i lawr y stryd. Roedd Blodwen yn mwynhau dyddiau Sadwrn, oherwydd fe gâi lonydd drwy'r prynhawn i wneud beth bynnag a fynnai yn y tŷ ac yn yr ardd. Syllodd ar y cymylau, a dod i'r casgliad na fyddai'r haul yn debygol o fynd o'r golwg yn fuan. Gwisgodd ei dillad garddio, ei menig a'i sgidiau sbâr, ac aeth i'r ardd i blannu.

Roedd Blodwen ar ben ei digon y diwrnod hwnnw, oherwydd roedd ganddi flodau newydd mewn potiau yn y Sied Fach. Roedd Blodwen yn cadw ei hoffer garddio i gyd yn un hanner y Sied Fach, ac roedd Cleif yn cadw ei drugareddau yntau yn yr hanner arall – pethau trydanol i'w trwsio, pethau metel i'w trwsio, batris a morthwylion a sbrings i'w trwsio a phob dim arall. Roedd y Sied Fach mor fach nes ei bod yn amhosibl i Blodwen a Cleif fod i mewn ynddi yr un pryd. Dim ond unwaith yr oedd y ddau wedi bod i mewn yn y Sied Fach gyda'i gilydd, flynyddoedd lawer yn ôl, a bu bron iddyn nhw orfod aros yno am byth wedi eu gwasgu'n sownd, Blodwen â'i siwmper wedi ei dal mewn darn o bren a Cleif â'i ben yn cyffwrdd y to.

Aeth Blodwen ati'n hapus i blannu planhigion newydd yn y gwely blodau ar waelod yr ardd – dwsin o flodau melyn a llwyn o rug porffor. Treuliodd y bore'n twrio yn y pridd ac yn dyfrio'r blodau wedyn, cyn camu'n ôl i werthfawrogi'r olygfa hardd. Tynnodd ei menig a mynd i'r tŷ am ginio – te oer a brechdan ham a jam – a meddwl wedyn y byddai bath poeth yn braf.

Llanwodd y bath â dŵr a swigod,
a suddodd i'w canol ag un ochenaid
hir.

"Ooowwwmmmfffffbbbrrrbbb."

Roedd y bath yn Tŷ Bach, fel
popeth arall, yn fach. Doedd dim
digon o le i ymestyn dy goesau
ynddo. Felly, doedd dim amdani ond
eu plygu a gobeithio na fyddai dy
bengliniau noeth yn oeri gormod.
Roedd Blodwen wedi hen arfer, wrth
gwrs, ac wrth ei bodd yn darllen llyfr
wrth iddi ymlacio yn y dŵr cynnes.

Roedd Blodwen yn gorwedd
ac yn darllen llyfr am arddwraig
enwog oedd wedi ennill gwobrau
am dyfu bananas ar ben yr Wyddfa,
pan welodd rywbeth yn symud yng
nghornel ei llygad. Roedd rhywbeth
yn symud yn yr ardd, ond fedrai hi
ddim gweld yn union beth oedd yno
drwy hanner isaf ffenest yr ystafell

ymolchi. Clywodd sŵn y bin sbwriel
yn disgyn, a meddyliodd yn siŵr
mai'r hen gath wirion yna oedd yn
gwneud llanast.

"Shwww, yr hen gnawes!"
gwaeddodd, a tharo'r ffenest â chefn
ei llaw. Ond parhau wnaeth y sŵn,
nes iddi fynd yn amhosibl i Blodwen
ddal ati i ddarllen.

"Wel, wel," dwrdiodd wrth
ymestyn am ei thywel. Safodd i fyny
yn y bath er mwyn edrych allan drwy
ran uchaf y ffenest, lle gallai weld yr
ardd yn iawn, a sgrechiodd.

Nid y gath drws nesaf oedd yn
twrio yn y bin sbwriel, ond creadur
a chanddo gynffon hir, coesau
byrion, trwyn main a chlustiau crwn.
LLYGODEN FAWR.

Sgrechiodd a sgrechiodd Blodwen,
nes i'w thraed lithro yn y dŵr oddi
tani ac fe syrthiodd yn un pwdin

mawr i mewn i'r bath, gan wneud i'r
dŵr dasgu dros y ffenest a'r nenfwd
a'r sinc a'r tŷ bach. Sgrialodd hithau'r
llygoden fawr wrth glywed sŵn mawr
yn dod o rywle a theimlo dafnau o
ddŵr y bath yn disgyn ar ei chefn.

Sgrechiodd Blodwen eto er bod
ei cheg yn llawn swigod, a'r llyfr am

yr arddwraig fananas yn wlyb diferol
oddi tani. Sgrechiodd eto wrth iddi
ei thynnu ei hun ag ymdrech anferth
allan o'r bath a thrwy'r drws, i lawr y
grisiau i'r gegin. Oedodd yn fud wrth
y drws. Os oedd y creadur blewog
hwn yn dal i fod yn yr ardd, doedd
hi ddim am fynd ar gyfyl y lle, ond
fedrai hi ddim dioddef bod yn y tŷ
chwaith a'r hen beth yr ochr arall i'r
wal.

Roedd Blodwen yn dal i sefyll
rhwng dau feddwl yn y gegin a'r dŵr
yn diferu oddi arni, pan glywodd
gnoc ar y drws. Cymaint oedd y sioc
a gafodd yn y bath, fe aeth i agor y
drws yn ei thywel.

"Shwma'i, Blodwen – oes unrhyw
beth o'i le?" gofynnodd Dai, yn
gwneud ei orau i guddio'i sioc yntau.

"Llygoden fawr!" oedd yr unig
ddau air y gallai Blodwen eu hyngan.

"Wela' i," atebodd Dai yn ddifrifol. "Ewch i mewn, Blodwen, a chadwch yn ddiogel. Fydda' i'n ôl mewn eiliad."

Trodd Dai ar ei sawdl a mynd yn ôl i'w dŷ ar ochr arall y ffordd. Roedd Dai Shwma'i yn enwog drwy'r stryd a thu hwnt am fod â'i drwyn ym musnes pobl eraill. Beth bynnag oedd yn digwydd, fe glywai Dai Shwma'i amdano rywsut, a byddai yno ymhen dim â'i fryd ar helpu, pe bai angen ei help ar bobl ai peidio. Roedd si ar led ei fod wedi bod yn y fyddin flynyddoedd yn ôl, ac yn hoff o feddwl amdano'i hun fel tipyn o anturiaethwr.

Caeodd Blodwen y drws yn syn. Aeth i orwedd ar y soffa yn y lolfa er mwyn pwyllo ryw ychydig. Dechreuodd deimlo'n well wedyn, ond ymhen dim roedd arni ofn ei bod wedi colli ei phwyll yn llwyr pan welodd Dai Shwma'i yn cerdded heibio'r ffenest ar ochr y tŷ â gwn hir ar ei ysgwydd. Cododd Blodwen ar unwaith, brysiodd i'r gegin a datgloi drws y cefn.

Roedd Dai Shwma'i wrthi'n patrolio'r ardd gefn â'i wn yn pwyntio tua'r llawr, fel rhyw heliwr tew ar saffari.

"Cadwch draw, Blodwen!" meddai, â'i lygaid yn dal i sganio'r ddaear. "Ga' i wared ar eich pla fyrmin nawr, dim problem. Dwi wedi cael hyfforddiant, peidiwch â phoeni dim!"

Roedd Blodwen ar fin gofyn iddo roi ei wn i lawr a challio, pan glywodd lais arall.

"Beth sy'n digwydd fan hyn 'te, Dai?"

Roedd Lewsyn Locsyn oedd yn byw ar waelod y stryd wedi gweld

Dai Shwma'i yn brasgamu â'i wn i dŷ Blodwen a Cleif. Yn wahanol i Dai, doedd Lewsyn Locsyn ddim yn ddyn arbennig o fusneslyd, ond roedd yn gyn-heddwas, ac felly'n teimlo dyletswydd bob hyn a hyn i gadw llygad ar ei gymdogion. Roedd gweld gwn yn nwylo Dai ar brynhawn Sadwrn braf wedi deffro hen reddf yr heddwas ynddo.

"Peidiwch chi â phoeni chwaith, Lewsyn," atebodd Dai'n ddiamynedd.

"Drychwch yma, Dai," meddai Lewsyn yn chwyrn. "Nag yw'r drwydded i'r gwn yna wedi dod i ben erbyn hyn, gwedwch?"

Roedd hynny'n ddigon i wneud i Dai oedi a throi i wynebu'r ddau – Lewsyn â'i farf lwyd denau'n ymestyn o'i glustiau i lawr ar hyd ei wefus uchaf, heb ddim ar ei ên noeth, a Blodwen yn wlyb diferol.

"Mae llygod mawr yma," meddai Dai'n awdurdodol, "a does dim da'n dod o oedi wrth drin llygod mawr. Mi weles rywbeth nawr o dan y goeden acw."

"Peidiwch â gwneud dim i fy nghoeden eirin i," meddai Blodwen o'r diwedd, wedi dod o hyd i'w llais.

"Rhowch eiliad imi fynd adre, Dai," meddai Lewsyn Locsyn yn bwyllog, "i mofyn magl a gwenwyn."

Ond roedd Dai wrthi'n prowlan o dan y goeden â'i drwyn tua'r llawr fel hen iâr foliog.

"Chi 'di colli'ch marbyls, y pwdrod?" gofynnodd rhywun.

Trodd pawb a gweld trwyn a llygaid a chorun moel, cleisiog Edward Edwards yn pipian dros y ffens.

"Llygod, Edward – ond mi fase'n well iti gadw mas o hyn," cynghorodd

Lewsyn Locsyn ac, am unwaith, fe gytunodd Dai Shwma'i.

"Llygod, myn coblyn!" meddai Edward. "Wel, 'sdim iws gadael jobyn bwysig fel hyn i ddau lindysyn fel chi."

Er gwaethaf y protestio o bob cyfeiriad, dechreuodd Edward Edwards ddringo'r ffens. Ac yntau hanner ffordd drosodd, fe simsanodd y ffens a llithrodd Edward. Aeth ei drowsus yn sownd wrth iddo daflu ei goes drosodd, a bu bron iddo rwygo'i drowsus i gyd o'r top i'r gwaelod wrth syrthio'n bendramwnwgl i mewn i ardd Tŷ Bach.

"Pwy yw'r lindysyn nawr?" meddai Dai dan ei wynt.

"Wn i ddim am y gwn yna," aeth Lewsyn yn ei flaen. "Peth anodd iawn yw taro llygoden lonydd, Dai, heb sôn am un fyw."

"Dwi'n enwog am anelu'n gywir,"
atebodd Dai, "ond mae'n anoddach
job o dipyn nawr eich bod chi'ch dau
yma, y penbyliaid!"

"Nawr, nawr," dechreuodd Lewsyn.

"Ti'n rhy dew," poerodd Edward.

"Tyrd â'r gwn i fi, cyn iti saethu dy hun."

"Paid â siarad drwy dy het, y mwnci moel!" gwaeddodd Dai, wrth i'r tri agosáu at ei gilydd o dan y goeden eirin yng ngwaelod yr ardd.

"Mas o'r ffordd, y cribyn blewog!" gwaeddodd Edward wrth geisio hyrddio Lewsyn o'r ffordd.

Yn sydyn, roedd y tri yng ngyddfau'i gilydd – Dai'n gafael ym mwstásh Lewsyn, Lewsyn yn ceisio llusgo Edward oddi ar Dai gerfydd ei war, ac Edward yn crafangu'n wyllt am y gwn.

"CALLIWCH!" gwaeddodd Blodwen.

A safodd y tri yn yr unfan.

Yn eu ffwlbri gwyllt, roedd Dai a Lewsyn ac Edward wedi sathru ei blodau melyn ac wedi difetha'r llwyn o rug porffor.

Sylweddolodd y tri ar unwaith eu bod nhw'n sefyll yng nghanol blodau Blodwen, ac fe roddon nhw'r gorau i'r gwasgu a'r tynnu a'r hyrddio. Ymddiheurodd pawb ar draws ei gilydd cyn rhoi trefn ar eu dillad, mwmian rhyw esgus a throi am adref.

"Go brin y daw'r llygod yn ôl," meddai Lewsyn yn lletchwith wrth adael. "Dydd da ichi, Blodwen."

Ar ôl i'r tri fynd o'r golwg, sylweddolodd Blodwen am y tro cyntaf y prynhawn hwnnw nad oedd ganddi ddim ond tywel amdani. Teimlodd yr awel yn oer, ac aeth i mewn i'r tŷ i wisgo.

Pan ddaeth Cleif a Sam y Ci adref ddiwedd y prynhawn, fe gawson nhw'r hanes i gyd. Penderfynodd Cleif osod magl ym mhen pellaf yr ardd am rai dyddiau, rhag ofn y dôi'r

llygoden fawr yn ei hôl. Rhaid bod
glannau'r afon yn orlawn o dyfiant yr
haf, meddyliodd, a bod y glaw dros
nos a'r bore wedi gyrru'r llygod allan
drwy'r draeniau a'r cwteri i'r pentref.

Doedd Sam y Ci ddim wedi deall
dim o hyn, wrth gwrs, gan mai ci
oedd e, ond gallai weld ac fe allai
synhwyro fod rhywbeth mawr wedi
digwydd. Syllodd ar y llanast yn y
gwely blodau yng ngwaelod yr ardd,
a'r ffens simsan, a gweddillion y
lleden ar lawr, a daeth i'r casgliad
fod y Gath Drws Nesaf wedi bod yn
gwneud castiau drwg eto, ac yntau i
ffwrdd yn y dref, y gnawes!

Gorweddodd ar y landin y noson
honno'n ceisio dyfalu beth yn y byd
oedd y gath wirion honno wedi bod
yn ei wneud. Cafodd freuddwydion
rhyfedd am lewes enfawr, felen yn
neidio dros y ffens i'r ardd, ac yn

rholio ac yn rhuo ac yn crafu'r pridd
yn ffyrnig …

6
Ffens newydd

Doedd Cleif ddim yn gorffen trwsio pethau'n aml iawn. Ond pan fyddai, gallet ti fod yn siŵr y byddai'r peth hwnnw'n para am byth.

Diwrnod trwsio oedd dydd Sul yn Tŷ Bach. Byddai Blodwen yn trwsio'i siwmperi oedd wedi datod ar hyd y tŷ, a byddai Cleif yn treulio'r rhan fwyaf o'r dydd yn y Sied Fach yn ffidlan â rhyw declyn neu'i gilydd.

Y prynhawn Sul hwnnw, roedd Cleif yn y Sied Fach yn bodio hen

radio bach â'i ddwylo caled. Roedd
y radio'n fud ers blynyddoedd, ond
cyn hynny roedd Cleif wedi bod yn
ei ddefnyddio bron bob dydd wrth

bysgota ar y môr. Byddai'n ei wthio'n sownd i gornel gyfleus yng nghaban Cwch Bach. Beth bynnag oedd wedi digwydd iddo – efallai fod dŵr hallt y môr wedi tasgu arno rywdro, neu hen gimwch wedi ei ysgwyd â'i grafanc – roedd wedi peidio â gweithio'n sydyn, ac roedd Cleif yn benderfynol o'i drwsio.

Ar gefn bwced yng nghanol y llanast yn y Sied Fach, roedd Cleif wedi gosod caead cefn y radio a phedair sgriw fechan a ddaliai'r caead yn ei le. Craffodd ar berfedd y radio am amser maith, a'i drwyn bron â chyffwrdd y weiars tu mewn. Gafaelai'n ofalus iawn ym mhob dim â blaenau ei fysedd ac fe deimlai ei hanner bys bach yn gwingo. Byddai hynny'n digwydd weithiau pan fyddai'n trin mân bethau trydanol. Rhoddodd gynnig ar hyn a'r llall, tynnu weiar fan hyn, gosod un newydd fan draw, sychu rhyw ddarn metel â'i hances, a rhoi'r caead yn ei ôl fwy nag unwaith, ond doedd dim yn gweithio.

Aeth allan i eistedd yn yr heulwen i fwyta'i ginio, a phendroni eto ynghylch beth oedd o'i le ar y teclyn mud.

Gwelodd Sam y Ci'n eistedd gerllaw a golwg flin ar ei wyneb. Eisteddai'r ci'n llonydd, a'i lygaid wedi eu hoelio ar rywbeth uwch ei ben. Trodd Cleif i edrych i'r un cyfeiriad, a gwelodd fod Sam yn edrych tuag at do'r Sied Fach. Yno'n llyfu ei phawen yn ddistaw, roedd cath Edward a Kathy Edwards drws nesaf.

Dyna ddau elyn, os bu rhai erioed, meddyliodd Cleif. Roedd y ci a'r gath wrth gynffonnau'i gilydd byth a hefyd, yn cyfarth ac yn mewian ac yn sgathru. Tybed beth fyddai'n digwydd pe bai un o'r ddau'n cael gafael ar y llall? meddyliodd. Gwell peidio â dychmygu.

Clywodd sŵn drws yn agor yr ochr arall i'r ffens, a gwelodd gorun moel Edward Edwards yn mynd yn araf at waelod ei ardd yntau, cyn eistedd, yn ôl ei arfer, yn ei gadair hyll ar y patio. Doedd Cleif erioed wedi mwynhau cwmni Edward Edwards, na'i wraig o ran hynny, ac fe wnâi ei orau i'w hosgoi, pan fedrai. Cododd o'i gadair a mynd yn ôl i'r Sied Fach.

Roedd Cleif wrthi'n ceisio ffitio un o'r sgriws bychain i mewn i gefn y radio pan glywodd sŵn sgrialu ar y to uwch ei ben. Collodd ei afael yn y sgriw a syrthiodd honno i ganol y llanast o hoelion a weiars a nytiau a sbrings. Syrthiodd y radio wedyn hefyd gyda chlec ar ben y bwced, ac

roedd Cleif ar fin grwgnach yn flin
pan ddaeth sŵn yn sydyn o'r hen
declyn. Roedd wedi ei drwsio!

Syllodd allan drwy ffenest y Sied
Fach, a gwelodd Sam y Ci'n neidio i
fyny ac i lawr gan gyfarth yn swnllyd.
Roedd y gath wedi neidio oddi ar do'r
Sied Fach i un o'r potiau blodau oedd
yn crogi ar fachyn uwchben drws y
cefn.

Cyn i Cleif fedru gwneud dim,
roedd y gath wedi neidio i botyn
arall, ac yna i ddiogelwch y ffens,
a Sam yn mynd yn fwy ac yn fwy
gwyllt â phob naid. Rhedodd y gath
ar hyd y ffens yn ofalus, a Sam yn ei
dilyn islaw.

Gwelodd Cleif y gath yn oedi
ar ben y ffens, a hithau, yn ôl pob
golwg, yn meddwl ei bod yn ddiogel
yno. Ond roedd y ffens oddi tani
wedi simsanu ar ôl i'r ffŵl Edwards

ddringo drosti'r diwrnod cynt, ac
yn sydyn fe ddechreuodd wegian.
Neidiodd Sam am y gath, a daeth y
cwbl i lawr gyda chlec ar ben corun
moel Edward Edwards.

Clywodd Cleif ei gymydog yn
gweiddi, a cheisiodd fynd allan i gael
gafael ar ei gi, ond roedd yn rhy hwyr.
Rhuthrodd Sam ar ôl y gath yn wyllt,
yn ôl ac ymlaen i bob cornel o'r ardd
drws nesaf, dros y blodau a'r potiau
a'r barbeciw, ac Edward Edwards
yn cropian yn araf i'r golwg o dan y
ffens. Neidiodd y gath o'r diwedd i
ddiogelwch y bondo, a safodd Sam
oddi tani'n cyfarth ac yn cyfarth.

Yng nghanol y sŵn, daeth Cleif at
y bwlch yn y ffens a chwibanu'n uchel
ar Sam. Ufuddhaodd hwnnw'n syth,
a rhedeg yn ôl yn gyffro i gyd at ochr
ei feistr, gan edrych i fyny at y gath
drwy'r amser.

"Be' sydd arnat ti, Cleif, yn methu
codi ffens gadarn?" arthiodd Edward.

Anwybyddodd Cleif ei gymydog
sarrug, ac aeth ati i godi'r ffens yn
ei hôl. Synhwyrodd y gath hithau ei
bod yn ddiogel wedyn, a neidiodd
i lawr o'r bondo. Ond wrth lamu, fe
drawodd raw fawr oedd yn pwyso'n
erbyn y wal, a syrthiodd honno ar ei
phen yn swnllyd.

Mwythodd Edward Edwards ei ben cleisiog ac aeth i mewn i'w dŷ gyda chlep i'r drws.

Y prynhawn hwnnw, gwnaeth Cleif yn siŵr fod y ffens rhwng y ddwy ardd yn sefyll yn gadarn ac yn sownd. Plannodd bolyn newydd yn y ddaear, a sgriwio'r ffens wrtho nes ei bod yn hollol gadarn. Peintiodd hi wedyn o'r newydd a'i thrin â farnais nes ei bod yn sgleinio.

Ar ôl gorffen ei thrwsio, fe safodd yn ôl i edmygu'r ffens, a Sam wrth ei ymyl. Meddyliodd y ci na fyddai gan y gwynt cryfaf obaith o chwythu'r ffens newydd honno i lawr, ac na fyddai'r glaw mwyaf yn ei difetha.

Roedd arogl y paent a'r farnais yn dal yn ffroenau Sam gyda'r nos, pan aeth i orffwys ar y landin â'i ben ar ei bawennau. Efallai mai oherwydd hynny y cafodd hunllefau'r noson honno, ei gwsg yn anesmwyth wrth ddychmygu clamp o ffens fawr yn ysgwyd ac yn crynu, a sŵn mawr dychrynllyd dros y lle, ac yntau'n methu'n lân â gweld beth oedd yn digwydd yr ochr draw …

7
Ffeirio

O dro i dro, bydd pethau cwbl ryfedd ac annisgwyl ac anhygoel yn digwydd, a neb yn gwybod sut na pham y digwyddon nhw. Diwrnod felly oedd hi yn Tŷ Bach y dydd Llun hwnnw.

Deffrodd Cleif yn gynnar, yn ôl ei arfer, er nad oedd yn mynd i bysgota'r diwrnod hwnnw. Ar ei ffordd i lawr i'r gegin, am y tro cyntaf ers hanner canrif, fe anghofiodd blygu'n ddigon isel a thrawodd ei dalcen ar y wal.

Safodd yno'n flin am eiliad, a Sam
y Ci'n edrych i fyny arno'n rhyfedd.
Am ffordd wael o ddechrau'r dydd,
meddyliodd Cleif. Ond sylweddolodd
wedyn nad oedd cael cnoc ar ei ben
yn brifo cymaint ag yr oedd yn ei
gofio. Sythodd ei gefn ryw fymryn, ac
aeth ati i roi bwyd i'r ci a pharatoi ei
baned foreol o de.

Daeth Blodwen i lawr ychydig
wedyn mewn siwmper goch â'i
gwaelod wedi dechrau datod. Aeth
ati'n gysglyd i dynnu'r wyau o'r
oergell a'u rhoi mewn sosban i'w
berwi. Tynnodd becyn o facwn allan
hefyd, a rhoi tair tafell i ffrio mewn
padell. Ychydig o ffa pob wedyn, a
thost a menyn a madarch, ac roedd y
cyfan bron yn barod. Cyn pen dim,
roedd y sosbenni budur yn y sinc,
y popty'n oeri a'r fflamau ar yr hob
wedi eu diffodd.

Roedd Blodwen ar fin rhoi llond llwyaid o wy yn ei cheg, pan welodd fod Cleif a Sam yn edrych yn rhyfedd arni. Edrychodd i lawr ar ei phlât a gweld yr wyau wedi eu berwi'n berffaith, y tost heb ei losgi, y madarch a'r ffa'n felys a'r bacwn yn goch.

"Wel jiw, jiw!" meddai, a chwerthin yn uchel dros y lle.

Pan dawelodd, fe syllodd yn falch ar yr hyn oedd o'i blaen, a bwytaodd ei brecwast yn awchus am y tro cyntaf ers amser maith.

Roedd y bore bron ar ben pan drodd Blodwen at y llestri budur yn y sinc. Roedd wrthi'n eu sgwrio mewn swigod ac yn syllu'n hiraethus drwy'r ffenest ar ei gwely blodau blêr, pan dynnwyd ei llygad gan rywbeth arall.

"Beth yn y byd?" meddai'n sydyn, a rhoi ei llaw dros ei cheg.

Tybiodd Cleif fod y llygoden fawr
yn ei hôl, ac agorodd ddrws y cefn yn
gyflym. Ond nid llygoden oedd yn yr
ardd y bore hwnnw.

Syllodd Sam y Ci allan i'r ardd
yn chwilfrydig drwy goesau Cleif,
a gwelodd yr hyn y bu'n dyheu am
ei weld ers iddo syllu allan i'r ardd
am y tro cyntaf … y Gath Wirion,
Haerllug, Drws Nesaf yn eistedd yng
nghanol yr ardd.

O fewn ei afael.

Roedd ei awr fawr, o'r diwedd,
wedi dod.

Cyn i Cleif fedru ei rwystro, fe
wthiodd Sam rhwng coesau ei feistr
a llamu allan drwy'r drws, dros y
trothwy ac ar hyd yr ardd fel mellten.
Agorodd ei geg yn fawr a fflapiodd ei
dafod fawr, wlyb yn y gwynt. Gallai
flasu, gallai arogli, gallai deimlo blew
ei hen elyn, ac o'r diwedd fe gâi ei

llarpio …

Ond nid dyna ddigwyddodd. Pan
gafodd Sam gorff y gath yn ei geg
agored, methodd frathu. Safodd yno'n
gegagored ac yn fyr ei wynt, ond
methodd wneud dim. Dim llarpio,
dim rhwygo, dim ysgwyd. Cymerodd
gam yn ôl.

Pam nad oedd hi'n rhedeg i ffwrdd? Pam nad oedd ei chrafangau miniog yn sgrialu mynd ar hyd yr ardd, ei choesau'n dringo'r ffens a'i blew'n codi fel crib ar ei chefn?

Am y tro cyntaf, edrychodd Sam y Ci yn iawn ar y Gath Drws Nesaf. Gallai weld ei bod yn anadlu'n drwm, a bod ei llygaid hanner ar gau. Aeth ati a'i harogleuo, ac roedd ei chorff yn teimlo'n oer ar flaen ei drwyn.

Daeth Cleif draw wedyn a mwytho pen Sam cyn codi'r gath yn ofalus o'r llawr. Roedd ar Cleif ofn fod y gath wedi ei dal ym magl y llygoden fawr yng ngwaelod yr ardd, ond gallai weld bod y fagl yno o hyd ac yn dal yn un darn. Edrychodd yn fanwl ar gorff y gath, a gwelodd fod rhywbeth o'i le ar un o'i choesau ôl. Cofiodd yn sydyn am sŵn y rhaw'n syrthio ar ei phen y diwrnod cynt.

"Fedrwn ni'i helpu hi?" gofynnodd Blodwen yn bryderus.

Craffodd Cleif am yn hir ar bob modfedd o gorff y gath, a Sam y Ci wrth ei draed yn edrych yn rhyfedd iawn ar bawb. Yna, fe gariodd y gath i'r Sied Fach. Gwyliodd Sam ef yn mynd, a cheisiodd ei ddilyn, ond caeodd Cleif y drws ar ei ôl.

Eisteddodd Sam yn yr ardd drwy'r prynhawn yn gwylio Cleif drwy ffenest fach y sied. Bob hyn a hyn fe welai gynffon neu glustiau'r gath yn dod i'r golwg, ond doedd ganddo ddim syniad beth roedd Cleif yn ei wneud iddi.

Ganol y prynhawn fe glywodd y drws yr ochr arall i'r ffens yn agor, a sŵn Edward Edwards yn cerdded at ei gadair hyll ar waelod ei ardd. Ysgyrnygodd Sam ei ddannedd a chyfarth, ond ni chymerodd Edward

unrhyw sylw ohono. Clywodd Sam
y barbeciw rhydlyd yn cael ei lusgo'n
wichlyd ar hyd llawr y patio, a'i gaead
gwichlyd wedyn yn agor.

Gwyliodd Blodwen y pethau hyn i
gyd yn digwydd drwy ffenest y gegin.

"Y mwnci moel," sibrydodd
Blodwen wrthi hi ei hun.

Ymhen dim roedd mwg du'n
byrlymu o'r barbeciw dros y
ffens, a thrwy betalau'r blodau
a changhennau'r goeden eirin.
Chwibanai Edward Edwards yn braf
wrth droi hanner dwsin o selsig
drewllyd ar y tân.

Clywodd Sam sŵn drws y Sied
Fach yn agor, a daeth Cleif allan â'r
Gath Drws Nesaf yn ei ddwylo. Am ei
choes ôl roedd Cleif wedi gosod darn
o bren â rhwymau bychain i'w gadw
yn ei le. Gosododd y gath i lawr yn
betrus.

Roedd honno wedi agor ei llygaid yn llawn bellach, ac yn syllu'n ansicr i gyfeiriad y Ci Drws Nesaf. Cymerodd Sam gam yn ôl. Rhoddodd hithau ei phwysau'n araf ar ei phedair coes ac, er mawr syndod iddi, roedd y boen yn llai yn ei choes ôl, a gallai ryw hercian yn araf yn ei blaen.

Cododd Blodwen y gath yn dyner a'i chario i'r tŷ. Roedd yn amser iddi gael ychydig o fwyd a llymaid o ddŵr. Dilynodd Sam hi'n chwilfrydig drwy ddrws y cefn.

"Wyt ti mo'yn sosej, Cleif?"

Roedd trwyn a llygaid a chorun moel, creithiog Edward Edwards yn pipian dros y ffens.

Ysgydwodd Cleif ei ben, ond doedd Edward ddim yn cymryd sylw. Gofynnodd gwestiwn arall.

"'Sdim sos coch 'da ti, oes e? Neu bicls?"

Roedd Cleif ar fin ateb nad oedd ganddo'r un ohonyn nhw, ond yna fe oedodd am eiliad. Trodd ar ei sawdl a mynd i'r tŷ. Daeth allan yn ei ôl ymhen ychydig gyda hen jar fawr o bicls yn ei law.

"Dyma ti, Edward," meddai.

"Anrheg i ti. Mwynha dy hun."

Edrychodd Edward arno'n rhyfedd, ond cymerodd y jar yn eiddgar.

"Diolch i ti, Cleif. Ti'n siŵr nag wyt ti mo'yn sosej?"

"Dim diolch."

Aeth Cleif i'r tŷ a chau'r drws ar ei ôl.

Safodd yn y gegin am ychydig a rhyw hanner gwên ar ei wyneb. Roedd Blodwen wrthi'n brysur yn bwydo'r gath, ond cododd ei phen pan ddaeth Cleif i mewn a sylwodd ar yr olwg ryfedd ar wyneb ei gŵr. Gwelodd wedyn fod y cwpwrdd yng nghornel bellaf y gegin ar agor. Roedd yr hen jar â'r hanner bys ynddi wedi mynd, a jar bicls newydd yn sefyll yn wag wrth ei hymyl.

Edrychodd ar ei gŵr eto, a dechreuodd hithau wenu.

"O'r mowredd," meddai, a dechrau chwerthin.

Chwarddodd Cleif wedyn, rhywbeth nad oedd wedi ei wneud ers blynyddoedd lawer. Roedd wedi anghofio beth oedd chwerthin go iawn, a chofiodd eto pa mor hyfryd y gallai fod. Chwarddodd ryw ychydig, yna ychydig mwy, a chwarddodd eto'n uwch, nes bod ei fochau a'i stumog yn brifo. Chwarddodd Blodwen hefyd gyda'i gŵr nes bod ei choesau'n dechrau simsanu, a bu'n rhaid iddi eistedd i lawr.

Syllodd Sam y Ci a'r Gath Drws Nesaf ar y ddau, ac yna ar ei gilydd, a golwg ryfedd, ryfedd iawn ar eu hwynebau.

* * *

Fe wellodd y Gath Drws Nesaf yn

raddol. Gyda chymorth y pren a'r rhwymau ar ei choes, dechreuodd gerdded unwaith eto. Magodd ddigon o gryfder yn y pen draw i fedru dianc oddi wrth Sam y Ci. Ond doedd dim angen iddi wneud hynny bellach. Er mawr syndod i'r ddau ohonyn nhw, roedd bod yn ffrindiau yn llawer haws na bod yn elynion, a doedd yr un o'r ddau'n medru cofio'n union pam eu bod nhw'n elynion yn y lle cyntaf.

Aeth y Gath Drws Nesaf, o dipyn i beth, yn Gath Tŷ Bach, wrth iddi dreulio mwy a mwy o amser yr ochr arall i'r ffens, a llai o amser yng nghwmni Edward Edwards. Sylwodd hwnnw ddim fod y gath wedi mynd, hyd yn oed.

Gyda'r hwyr, byddai Blodwen yn gorwedd ar y soffa mewn siwmper oedd wedi datod â'i thrwyn mewn

llyfr. Byddai Cleif yn pendwmpian yn
ei wely, a'i draed allan drwy'r ffenest
a chlais newydd ar ei dalcen. Byddai
Cath Tŷ Bach yn ymestyn ei hun ac
yn llyfu ei phawennau ar fwrdd y
gegin.

Ar ben y landin, byddai Sam
y Ci'n gorffwys ei ben bob nos
ar ei bawennau esmwyth, ac yn
breuddwydio breuddwydion newydd
sbon …